LE PLUS
MALIN

ISBN 978-2-211-21597-8
Première édition dans la collection *lutin poche* : décembre 2013
© 2011, l'école des loisirs, Paris
Loi numéro 49 956 du 16 juillet 1949 sur les publications
destinées à la jeunesse : septembre 2011
Dépôt légal : juillet 2021
Imprimé en France par Estimprim à Autechaux

LE PLUS
MALIN

Mario Ramos

Pastel
les lutins de l'école des loisirs
11, rue de Sèvres, Paris 6ᵉ

Par une belle journée ensoleillée,
le loup rencontre le Petit Chaperon rouge :
«Bonjour chère enfant ! Comme tu es belle
dans ce ravissant costume !»
«Bonjour Grand Loup et merci du compliment»,
répond la petite gaiement.

Le loup continue
de sa grosse voix:
«Sais-tu
qu'il est très dangereux
de se promener
toute seule dans les bois?
Tu pourrais rencontrer
une bête féroce,
un requin par exemple!
C'est très méchant
les requins, tu sais.»

«Enfin Grand Loup, tout le monde sait bien
qu'il n'y a pas de requins dans les bois»,
répond la petite.
«Bien sûr, bien sûr! Je disais ça pour rire.
Mais dis-moi, petite framboise,
où vas-tu comme ça?»
«Je vais voir Grand-mère qui habite
de l'autre côté du bois.»

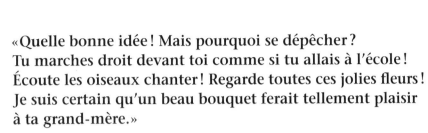

«Quelle bonne idée! Mais pourquoi se dépêcher?
Tu marches droit devant toi comme si tu allais à l'école!
Écoute les oiseaux chanter! Regarde toutes ces jolies fleurs!
Je suis certain qu'un beau bouquet ferait tellement plaisir
à ta grand-mère.»

À ces mots, le loup s'éloigne tranquillement en sifflotant.

Dès qu'il est caché par les arbres,
le loup fonce à toute allure en ricanant :
«C'est moi le plus malin !
Aujourd'hui sera jour de festin. Au menu,
grand-mère et petite groseille en dessert.»

Arrivé devant la maison de la grand-mère,
le loup frappe doucement à la porte.
Toc, toc, toc.
La porte mal fermée s'entrouvre…
Il n'y a personne.

En voyant une chemise de nuit sur le lit,
le loup jubile : « Ho, ho !
Je crois que j'ai une bien meilleure idée.
Ce sera plutôt petite cerise en entrée,
et grand-mère au dessert. »

Et le loup enfile la chemise de nuit.

«Parfait, parfait! Déguisé en grand-mère,
je n'ai plus qu'à me glisser sous l'édredon
et attendre bien sagement mon repas...

Nom d'une pipe! Bougre d'imbécile!
J'allais oublier d'effacer mes traces de pas
devant la maison!»
s'exclame le loup en se précipitant dehors.

Vlan !

Un courant d'air referme brusquement la porte.
Surpris, le loup fonce se cacher dans les bois.

«**S**aperlipopette! Crotte de biquette!
Oh! Bonjour Grand-mère!
Pardon pour les gros mots,
mais j'ai perdu mes lunettes.
Pouvez-vous m'aider à les retrouver?»
se lamente le chasseur à quatre pattes.

Le loup s'éloigne en marmonnant:
«Si cet idiot croit que je vais l'aider
à me plomber les fesses.»

Mais à peine a-t-il fait trois pas que Petit Ours l'interpelle :
«Bonjour Grand-mère! Tu ramasses des champignons
pour faire une soupe?»
«Cette histoire de grand-mère commence à m'énerver»,
rumine le loup en se contorsionnant désespérément
pour se débarrasser de ce ridicule vêtement.

Aussitôt, des éclats de rire retentissent dans la forêt.

«Bonjour Grand-mère !
Si vous voyez le loup,
prévenez-nous !»
lance Didier Cochon,
qui court derrière ses deux frères.

«Ceux-là
ne perdent rien pour attendre !»
fulmine le loup.

Soudain déboulent les sept nains
qui s'écrient en chœur:
«Bonjour Grand-mère!»
avant de continuer à chanter:

Hé hi! Hé ho!
Il fait beaucoup trop chaud
Hé hi! Hé ho!
Pour aller au boulot
Hé hi! Hé ho!
On a mis not'maillot
Hé hi! Hé ho!
Pour plonger dans l'ruisseau.

Le loup sent la moutarde lui monter au nez,
lorsqu'arrive le marquis
Jean-Charles Hubert Hector de Montrésor
qui l'interpelle: «Holà, Grand-mère!
Je cherche le château de la belle qui dort encore.»
Le loup se retient d'exploser
et se dissimule derrière un gros chêne.

Il gesticule,
se courbe, se tortille, tournicote
et remue dans tous les sens,
mais pas moyen d'enlever
cette stupide chemise !

C'est alors que la petite framboise apparaît,
un gros bouquet à la main.
«Ha! Celle-là au moins, elle va me reconnaître!»
salive déjà le loup.

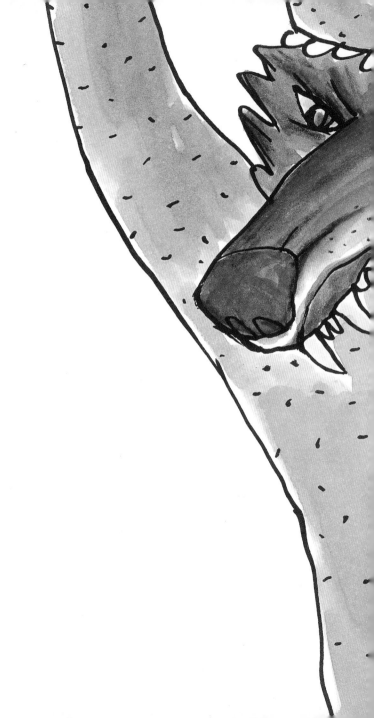

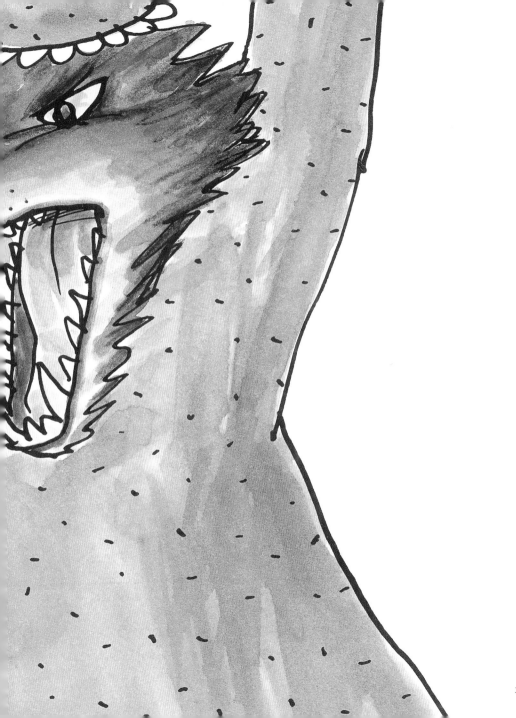

La petite fille éclate de rire:
«Grand-mère, ce masque de loup est super!
La grosse tête poilue, les grandes dents pourries
et les gros yeux globuleux; c'est pour moi?»

Fou de rage, le loup se jette sur l'enfant
en hurlant: «Je suis le loup,
le grand méchant loup!
Et je vais te dévorer d'un seul coup!»

Mais il se prend les pieds dans son déguisement
et s'écrase lamentablement.
«Ah oui, c'est vrai, tu es le loup...
Mais c'est rigolo : tu as la même chemise de nuit
que ma grand-mère !» dit la petite fille.

«**N**on ! F'est pas rigolo ! V'ai caffé toutes mes dents !
Impoffible d'enlever fette fatanée femise !»
«Oh, pauvre loup…
Mais il ne faut pas s'énerver comme ça,
c'est très mauvais pour la santé.

Ne bouge plus, je vais t'aider», dit le Petit Chaperon rouge.